화이트 타이거와 블랙 타이거

니토리 사사미

목차

새우 레시피 고안·감수　이케다 미키

화이트 타이거 군

어린 호랑이 .

강하고 멋진 호랑이가 되고 싶다 .

블랙 타이거 군

긍정적인 새우 .

약간 맹한 구석도 .

개 경찰 아저씨

파출소에서 근무하는 경찰 아저씨 .

성실하고 열심히 일한다 .

토끼 선생님

토끼 병원 의사 선생님 .

어떻게 해서든 치료하고 싶어 한다 .

‖ 호랭호랜드 약도 ‖

화이트 타이거

블랙 타이거

사람 찾기

무슨 일 있니?
블랙 타이거
라는
강한
호랑이를
찾고 있어.

난 멋진 사람을
동경하거든!
블랙 타이거는
송곳니랑 발톱이
날카롭고
입에서
불을 뿜는대.

10

블랙 타이거를 찾아서

무서워

수행

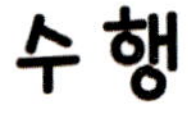

위 기

영웅

미 안 해

호랑이는
아니지만
내가
블랙 타이거야.
지금까지
말 안 해서
미안해.
…머
꿈을
산산조각
내서
미안해.
멋있어!!!
진짜
멋있었어
!!!!!!!!!!
너 정말
강하더라!

친구

호랑이든 아니든 상관없어.
하지만 난 호랑이가….
멋있는 사람을 동경한다고.
내가 말했지?
블랙 타이거 군!
앞으로도 잘 부탁해.
가벼운 화상이라 다행이다~
와~아
가벼운 화상이네요.

호랑이 토막 상식

호랑이의 귀 뒤쪽엔 눈처럼 보이는
하얀 얼룩점이 있어.
아기 호랑이가 어미 뒤를 따라갈 때에
표식이 되기도 하고, 뒤에서 다가오는
적을 위협하는 역할을 하기도 한다고 해.
(여러 가지 의견이 있음)

일상

칠리새우

멋지다~
중화요리집에서 아르바이트를 시작했어.

미끌
네.
이익
치이
기름 때문에 미끄러우니까
조심하렴.

칠리새우
구급차 불러주세요.
그래서 내 몸이
중화요리가 된 거야.

가벼운 화상 이네요.
가벼운 화상이라 다행이다~
야호~

깐 새우

얍!
얍!
단단한 새우를
목표로!
응?
블랙 타이거 군.
평소랑
달라 보여!
구급차
불러주세요.
늘 오는
장소예요.
깐 새우
실수로
단단한 껍질만
벗겨졌어.
단단한
새우가
되려고
했는데
가벼운
찰과상이라
다행이다~
여유
만만
가벼운 찰과상
이네요.

햄버그스테이크

철판 햄버그 스테이크 나왔습니다.
맛있겠다~
와~
철판이 뜨겁네~
블랙 타이거 군, 조심해.
응, 고마워.
치익
폴짝
주문 도와드리겠습니다.
딩동♪
새우구이
구급차 불러주세요.
가벼운 화상이네요.
맛있어
가벼운 화상이라 다행이다~

공장 아르바이트

바삭바삭 공장
알바 팀장인 게입니다.
반찬 만들기의 프로죠.
꾸벅
새로 온 블랙 타이거 라고 합니다.
블랙 타이거 군, 잘하고 있나?
살금
알겠습니다.
미끌
달걀
빵가루
무거우니까 조심 하세요.
구급차 불러 주세요.
치이익~
새우튀김
집게다리 튀김
가벼운 화상이라 다행이다~
Toughness Professional
가벼운 화상 이네요.

BAR

BAR
어린이는 술 마시면 안 돼~
마스터, 술 한 잔.

난 토마토 주스.
미끌
난 우유를 주문했어.

손님.
마스터, 구급차 불러주세요.
새우 토마토 냉국

토마토 주스를 조금 들이켠 정도라 다행이다~
맛있 없어
토마토 주스를 조금 들이켠 정도네요.
촤악—
저쪽 손님 입니다.

비 행 기

비행기 처음 타 봐!
나도!
우와~ 우와~

비행기 안이 건조하네.
블랙 타이거 군은 물 안 마셔도 괜찮아?
응, 괜찮아. 고마…

비행기 안에
말린 새우
의사 선생님 계신가요?

건성 피부네요.
괜찮 아요
건성은 힘들지.

공 장 견 학 1

새우 전병
쪼긋
전병 공장에 견학 갈 거야.
응!
타이거 콤비 아니니. 둘이서 어디 놀러 가니?
새우 전병
위이잉
링장해~
와아
위이잉
새우 전병
슈우욱…
또 놀러 가자.
바이바이이
바바이
바이바이이
재밌었어.
안녕
안녕
아, 토끼 선생님 이다.
안녕히 계세요~

공장 견학 2

타이거 콤비, 오늘도 둘이 어디 놀러 가니?
응!
빵 공장에 견학 갈 거야.
…다음 환자분—
끼익…
선생님, 응급 환자 예요.
블랙 타이거 군이
드르르륵
콰당
베이컨 새우 빵
베이컨 낙엽 빵에 말려 들어 갔대요.
가벼운 화상 이네요.
럭키—
바삭
바삭
가벼운 화상이라 다행이다~

라멘

라멘 나왔습니다!
탁!
첨벙
사장님, 간장 라멘 두 개 주세요.
미끌
와아
와아
자! 새 라멘 줄게.
휙!
어이쿠. 손가락이 들어갔네.
사장님, 여기 구급차 한 대요.
오케이!
새우라멘
어이쿠. 새우가 들어갔네.
가벼운 화상이라 다행이다~
오케이!
교자
교자
가벼운 화상이네요.

라멘 어게인

블랙 타이거 군.
오늘은 미끄러지지 않았네. 대단해—!
수줍…
에헤헤….

사장님, 교자도 추가해 주세요—
달그락
오케이!
헤헤…. 라멘 다 먹었다.
미끌
미끌

교자 나왔습니다!
두둥!
새우 교자
구급차 불러주세요.
드르륵
오케이!

가벼운 화상 이네요.
오케이!
오케이!
교자
교자
교자
교자
교자
가벼운 화상이라 다행이다~

주먹밥 가게

잘 먹겠습니…
미끌
잘 먹겠습니다—

응! 주먹밥은
화상 걱정도… 어… 없…
블랙 타이거 군.
괜찮아?

튀김 주먹밥
꾹꾹
치익~
첨벙
슈웅
엣취!

빨리 낫자.
엣취
감기네요.

감자튀김

화이트 타이거 군.
무슨 일 이야?
꼬옥
블랙 타이거 군이 미끄러지지 않도록
내가 꼭 잡아줄게!
그래? 고마워!
크림 새우
첨벙
미
끌
꼬오오옥…
난 파트너 자격이 없어….
그렇지 않아!
보기보다 미끌미끌 하네요.

에스테틱 살롱

에스테틱 살롱 보나페티
그러게.
이젠 남자도
본인을 가꿔야 해.
발바닥 젤리 팩도 받았다~
전신 트리트먼트로 보송보송 해졌어.
뽀송
뽀송
이것 봐.
구급차 불러주세요.
매끈 매끈
난 전신 소금 마사지로 매끈매끈 해졌어.
등의 내장도 뽑아서 깨끗해졌고~
가벼운 찰과상이라 다행이다~
속눈썹 예뻐요~
가벼운 찰과상 이네요.

운 전

화이트
타이거 군,
이것 봐~
폴
짝
폴
짝
?
블랙
타이거 군.
그건
무슨
열쇠야?
꼬마 자동차 새우
면허
땄구나!
멋있어~!!
부 ～ 웅
아…
아…
여긴
우리의
숲이다.
인간의 힘을
받아가마….
인간을
잡아먹고
부우 ～ 웅
와
～
운전하면
성격이 변하는
타입이구나~

이미지 변신

큰일이야!
블랙 타이거 군이
삶은 새우로…
아니야.
이미지 변신을
한 거야.
꽉
슉

이불 밖으로
나가고
싶지 않아.
휴일이니까
괜찮지
않을까?

장난감 정리하기
귀찮아.
내일 해도
되지 않을까?
뒹굴
뒹굴

스윗 단새우

급식

오늘 급식 메뉴는 뭘까?
두근
두근
드르르륵
선생님은 화장실이 아니에요.
선생님, 화장실이요.
야호.
크로켓 같아.
바삭바삭 공장에서 만든
선생님은 구급차가 아니에요.
선생님, 구급차요—
안녕~
게 크림 크로켓
새우 크림 크로켓
앗, 화이트 타이거 군. 여기서 보네~
가벼운 화상이라 다행이다~
안녕하새우—
계신남~
가벼운 화상이네요.

메 시 지

17 : 48
첫 월급 받은 기념으로
할머니랑 근처 중국집 다녀오려고 17 : 48
17 : 50 조심해서 다녀와
응! 걱정해줘서 고마워 17 : 50
18 : 12
18 : 12 구급차 불러
18 : 54
둘 다 가벼운 화상이래 18 : 54
18 : 55 둘 다 가벼운 화상이라 다행이다~
이예-이 18 : 57
블랙 타이거 할머니를 초대했습니다
여유만만
18 : 58

놀이공원

※호랑이가 빙글빙글 돌면 버터로 변해버린다는 동화 속 이야기가 있습니다-편집자주

기 다 림

약속 시간에
너무 빨리 나왔네.
심심한데 춤이나 출까.
빙글 빙글
실룩
덩실
덩실
화이트 타이거 군.
언제 오려나.
버터
들썩들썩
내가 깔고 앉아서 털이 눌렸어…
내버려 두면 나아~
가벼운 현기증이네요.

파스타

PAS
응응.
그래서
학교에서…
새우 토마토
파스타
움찔
폴짝
흠흠.
치즈
급식
시간에…
벌떡
사삭
버터
철렁
갑자기
춤을 추고
싶어.
농담이야.
바이바이~이
바이바이~이

요리 방송

여러분, 안녕하세요.
블랙 타이거의
요리 라이브 시간입니다~
【LIVE】 요리를 합니다 【블랙 타이거】
6명이 시청 중

실시간 채팅
기대돼
처음 봅니
파이팅
이번엔 간단한 스크램블 에그…
미끌
평소엔 어려운 메뉴를 만들다 실패해서
처음 봅니다
파이팅
하얀 호랑이
100엔
구급차 불러
치익~
새우를 넣은 스크램블 에그
【LIVE】 요리를 합니다 【블랙 타이거】
8명이 시청 중
Dr.T
50,000엔
가벼운 화상이네요
하얀 호랑이
300엔
가벼운 화상이라
다행이네
괜찮아요!
채널 구독 부탁드립니다~
실수를 좀 했지만
【LIVE】 요리를 합니다 【블랙 타이거】
657,046명이 시청 중

장난감 가게

신발
장난감
장난감
놀이기구
폐점 세일
신난다~
장난감
가게다~
엄마—
나 이거
사고 싶어.
봉제
인형이
잔뜩 있어~
화이트
타이거
군—!!!
덜컹
덜컹
새하얗고
복슬복슬
해.
그렇게 떠나가는…
덜컹
덜컹
화이트
타이거 군!
안녕
하세요
선생님,
빨리 구해
주세요.
털이 상상
이상으로
보드랍네요.

케이크 뷔페

케이크 뷔페 재밌겠다—
그러게—

화이트 타이거 군은 단 걸 좋아하니까
너무 많이 먹다 초콜릿이 되지 않도록 조심해~!
그래, 조심할게.
아 하 하
후 후 후
폴짝
폴짝

구급차 불러주세요.
미끌
새우 퐁듀

충치네요.
절망
빨리 낫자.

온천

온 천 1

암반욕도 할 수 있대.
온천 재밌겠다~
여자는 남탕에 못 들어 가요.
이거 봐! 난 의사란 말이야.
괜찮아—!
그렇게 오래 있어도 괜찮아?
우드드당 드당
지금은 전화를 받을 수 없습니다.
삐 소리 후……
구급차 불러주세요.
삶은 새우
삶은 새우가 있어요.
POLICE

온천 2

화이트 타이거 군, 힘내!
삶은 새우
시무룩…
구급차도 선생님도 못 오나 봐.
삶고 구운 새우가 있어요.
삶고 구운 새우
모처럼 왔으니 암반욕도 즐기자.
다행이다~
지금 일어나서.
끼익
앗, 구급차가 왔어.
졌다—
시끌
시끌
우노!
야단났네.
웅성
어떻게 되신 걸까.
아직 선생님이랑 연락 안 돼?
웅성

온천 3

큰일이네.
그건 간장이야.
좌악!
사삭
괜찮아. 소독하면 나을 거야.
블랙 타이거 군은 계속 이대로인 걸까….
걱정…
넘새가 좋다고 해줘서 고마워.
배고파.
삶고 구운 간장새우
맛있는 냄새가 나.
이대로는 블랙 타이거 군이
맛있게 잡아먹힐 거야~
이 목소리는….
!
스으윽!
—상이네요.
가벼운 화상이라 다행이다~
토끼 선생님!
짠
가벼운 화상이네요.

취조

정말이냐~?
다치지 않도록
지켜봤다고?
바로 치료
할 수 있게?

악—
푸욱

근육의 긴장을
풀어주는
주사입니다.
실력은
좋군.
어라?
어깨 결림이
나았네.

앞으로는
오해가
생기지
않도록
수상한
행동은
삼가라고.

남탕
퍽
온천
이거 놔!

난 의사란
말이야.

토끼 선생님

고양이

…?!
저벅 저벅…
BAR
깜짝 놀랐네. 고양이들이 모여 있었던 거구나….
휙
따끈
따끈
음냐…. 구급차 불러주세요.
딩굴
새우 허브구이
지글 지글
신난다~
가벼운 화상 이네요.
가벼운 화상이라 다행이다~

그라탱 파이

블랙 타이거 군. 놀러 온 김에 밥 먹고 가렴!
아줌마! 그래도 될까요?
야호
아줌마가 만드신 그라탱 파이 너무 좋아!
늦게 갈 거라고 집에 연락 해야지.
전화기 여기 있어.
룰루 루루
새우 그라탱 파이
푸웅 쑥
구급차 불러주세요.
가벼운 화상 이네요.
선물 가져갈게
가벼운 화상이라 다행이다~

육즙 가득한 미트파이와 고기가 듬뿍 든 스튜

즐거운 요리

블랙 타이거 군, 괜찮아?
탁
앗 뜨거!
후다닥
이 정도는 괜찮아!
이것 봐. 벌써 낫고 있어.
드르륵…
탁
구급…
드르륵
악! 악!
구
기합을 지르면 나을 거야.
틱
드르륵
탁
드르륵
구급… 더 심해졌잖아.
다 나았어
왜액
경찰 아저씨!
앗, 밥도둑이다.
휙

갈릭 쉬림프

구급차 불러주세요.
갈릭 쉬림프
가
이번 진찰 결과 말인데요.
가벼운 화상이라 다행이다~
괜찮아요. 진정하세요.
한 번 더 맞춰볼까요?
미안해. 내가 실수했어….
두근 두근… 사악—…
어…
웅성웅성…
안심
가벼운 화상이네요.
가벼운 화상이라 다행이다~

대단한 약

손에 뭐야?
호랑이 풀이라는 풀로 만든 약이야. 상처나 화상에 효과가 좋아.
엄마가 자주 발라주셨던 게 생각나서 가져왔어.
대단해— 무릎에 난 상처가 나았어!
와—아 와—아 와—아
이제 토끼 선생님께 가지 않아도 괜찮을 거야.
마음껏 달릴 수 있겠어~
아하하, 기다려—
타다닥

호랑이 풀

옛날부터 야생 호랑이가 상처를 입었을 때
몸을 문질러 치료를 했다는 이야기에서
병풀을 호랑이 풀이라고 부르게 되었어.

별명 : 조개풀, 말굽풀

일상 2

생각해 보다

구급차 불러주세요.
새우튀김 메밀국수
앞으론 충분히 생각하고 행동하도록 조심할게.
그래, 그렇게 하자.
미안해, 나도 모르게 들떠서….
난 항상 이런 식이야.
구급차 불러주세요.
새우버거
『블랙 타이거 컬래버레이션 카페#5 ~Spring~』 메뉴를 생각해 봤어.
미안해.

흰새우 씨

신입인
흰새우입니다.

와아.

알바
팀장인
게입
니다

어쩐지
친근감이
느껴져.

꾸벅

저한테
맡기세요.

전 금방
가거든요.

느릿 느릿…

빵가루

무리하지
마세요

부지런한
노력가구나.

빵가루

지그재그
이동

좋은 아침
입니다.

어라?
오늘 흰새우 씨는
휴가인가요?

휴가가 아니라
흰새우 씨는…
이미….

네?

두리
번

두리
번

자네도
들었지?

흰새우 씨는
금방 간다고.

옷

오래 기다렸지~ …근데
오늘 좀 춥지 않아?
털이 없으면 추울 수도 있겠네.
덜덜
잠깐만 기다려.
옷 걸치고 올게!
다녀와—
휘익
기다렸지~
튀김옷
구급차 불러주세요.
가벼운 화상이네요.
조끼로 갈아입음
가벼운 화상이라 다행이다~

따뜻한 털

화이트 타이거 군은
따뜻한 털이 있어서 좋겠다.
그럼…
내가 꼬옥— 안아주면 해결되겠지?
정말이네.
따뜻해~
푹신
벨벳 새우
털갈이 시즌 이네요.
미안해.
아니야. 내가 까매서 잘 보이는 것 뿐이야.
돌 돌
돌 돌

케이크

앗.
딸기 도둑
이다.
휙
덥석
쇼트
케이크
최고!
딸기는 제일
마지막에
먹어야지~
화이트
타이거 군이
제일 좋아하는
딸기를!
용서
할 수 없어.
폴짝
구급차
불러주세요.
뜨거
워.
새우
케이크
카탈라나
데굴
데굴
가벼운
화상이라
다행이다~
다행
이야!
가벼운
화상이네요.

닭고기 튀김 -아이 편-

닭고기 튀김 진짜 맛있다~
밥이 계속 들어가.
와구와구
냠냠
정말, 완전 밥도둑이야.
광
주륵
도둑이라고? 어디냐—!
찰싸
파르페
파르페
POLICE

닭고기 튀김 -어른 편-

맛있는
해산물 덮
멋대로
레몬즙
뿌리지 마!
촤악~
멋대로
추가 주문
하지 마!
술 나왔
습니다~
숙
연봉 높다고
자랑하지 마!
불쑥
luxury-luxury-luxury-luxury-lux
누가
돈 내게
할 줄 알고.
치 고 받 고
luxury-luxury-lu

달 리 기

앗.
수상한 놈,
거기 서…
툭
쌔앵
부스럭부스럭…
으으….
손…
손에…
어디
다친 데
없습니까?
!
삭삭
휴
쏙
익
손에 수갑을
쥐고 있지!!
둘 다
힘내라~
부채새우
경찰
아저씨♡
토끼
선생님♡
달리기
시합하나?
뭐라고?!
음
지갑이
떨어졌어요.

카 페

카페는 정말 좋아.
그러게—
COFFEE HOT

난 밀크 쉐이크.
따뜻한 물수건 입니다~
화상 입지 않게 아이스 커피 시켜야지.

구급차 불러주세요.
찐 새우

포인트 카드 만들 수 있나요?
가벼운 화상이네요.
가벼운 화상이라 다행이다~

잘생긴 남자

화이트 타이거 군~
뭐 해?
폴짝
...
나도 해볼래.
나른한 표정으로 목을 잡고 있으면 멋있어 보인대!
엄마 방에 있던 만화책에서 봤어.
!
CD
파스네.
야호
파스
토끼 선생님이 뭘 두고 가셨어.

방송 사고

나한테 질문 있는 사람?
난 버추얼 무적최강 타이거 드래곤 오메가….
【LIVE】 무적 질문 코너 【타이거 드래곤 Ω】
8명이 시청 중
아들~ 엄마가 벌꿀 듬뿍 넣은 달콤한 카레를 만들어 왔어요.
철컥
좋아하는 음식이 뭐야?
엄청 매운 탄탄면.
너무 멋있다
…어, 어라?
딸깍딸깍…
어… 엄마! 들어오지 말라고 했잖아!
펑
실시간 채팅 ∨
누구야?
새햐얘
귀여워
고양이
되돌리는 방법을 모르겠어~
잉—
딸깍 딸깍 딸깍
훌쩍 훌쩍…
Dr,T
50,000엔
가벼운 방송 사고네요.
검은 새우
1,000엔
괜찮아!
되돌리지 마
【LIVE】 무적 질문 코너 【타이거 드래곤 Ω】
252,201명이 시청 중

DRAGONIC KNAPSACK

점심시간

드르륵
거수자 경계 중
파출소는 식당이 아니야!
돈가스 덮밥 보통 하나.

우물 우물 우물
탁
맛있어~

먹자마자 눕지 마!
소가 되어도 난 모른다.
소가 되진 않아.

그럼 더더욱 눕지 말아야지.
역류성 식도염에 걸릴 가능성이 클 뿐!

수상한 사람

수상한 사람 1

따뜻해—
봄이야—
화이트 타이거, 드디어 찾았다—
소문대로 털이 풍성하군.
비싼 값에 팔리겠어.
부스럭…
확실히 보기 드문 녀석이야.
휙
휙
바로 포획…
내가 할 일 인데…
…벚꽃이 예쁘네요.
성 큼 성 큼
안녕 하세요—
꽃새우
아, 토끼 선생님.

수상한 사람 2

내가 해치울게.
하지만 녀석은 우리 포 헌터즈 가운데 최약체.
1이 당하다니….
POLICE
저 앞엔 함정이 있지.
훅
블랙 타이거 군~ 기다려.
사 삭
훌렁
딸깍
새우가 방해했어.
기분 탓 아닐까?
응? 뭐가 지나간 것 같은데.

수상한 사람 3

호랑이를
잡으려면

호랑이 덫을
놔야지….

그 작은 새우도
잡을 수 있는
촘촘한 이빨이
특징인 이 덫.

걸렸다!

와아!

철컹

영차.

미끌

무슨
일이야?

응?
글쎄.

가시에
찔렸나 봐.

저 새우,
대체 뭐야.

질질

타다닥

수상한 사람 4

신중하게 작전을 세워야겠어.
아하하하)
복돌 반옆기!!
그 새우….
생각보다 만만치 않은걸.
그럴 필요 없었군.
영구차 불러주세요.
새우구이
치익
뽈 짝
뭐라고?!
구급차 불러주세요.
사뿐 사뿐
토끼 병원
가벼운 화상이라 다행이다~
말도 안 돼.
가벼운 화상 이네요.

수상한 사람 5

이걸로
주변 사람들을
전부
처리하고…
메스.
자칫하다
목적을
잊어버릴
뻔했어.
푹
푹
푹
갸아악~
메스 더
주세요.
너는
나 좀 보자.
덥석
10년 후에
보자고.
밀렵은 이제
지긋지긋해~

우정의 힘

둘 다 지금 집에 가니?
도중까지 바래다줄게.
와아.
고맙습니다. 고양이 경찰 아저씨!
개란다.

봄엔 이상한 사람이 많이 나오니까 조심해.
내가 블랙 타이거 군을 지켜줄 테니 안심해!
무슨 말이야— 내가 지켜줄 거야!

변태
팅
팅
팅
아아악
나쁜 것들이 저절로 팅겨 나가잖아….
저게 바로 우정의 힘인가.
후후후
아하하
변태

후후…. 쓸데없는 걱정을 했나?
수고 많으십니다.
곰 경찰 아저씨.
개거든.
변태

♡ 의상 컬렉션 ♡

일상 3

개구리도 아니고

먼저 자리 잡고 기다릴게.
내 달걀 샌드위치는 좀 기다려야 할 것 같아.
SUB SUB
삶은 달걀이 떨어져서
새로 삶는 중이에요.
두리번
두리번
구급차 불러주세요.
점점 뜨거워짐
아, 여기 있었네.
어~이.
2023
목요일
4
5월
행복해
가벼운 화상이네요.
가벼운 화상이라 다행이다~
FOOD COURT

어린이날

투구새우
멋지다~
자,
다 됐어.
두근
두근.
꼬물…
꼬물…
나도
화이트 타이거
군에게
투구를
접어줄게!
미안,
다시 해줄게.
꾸깃…
꾸깃…
미안해.
마음만으로도
고마워~

사진 1

사진 2

이러쿵 저러쿵 투덜투덜…
땍땍 바득바득…
선생님이랑 경찰 아저씨도 사진 찍어 줄게요~
폴짝
복슬복슬..
사이좋게 찍혔네.
그러게―

미용실

HAIR SALON KIRI KIRIMAI
오랜만에 미용실에 가야지.
어라?
화이트 타이거 군도 왔구나.
산 뜻…
잘 깎았어!
구급차 불러주세요.
산 뜻 …
나도 잘랐어.
더듬이.
두번 구운김
붙임머리 멋있어요!
가벼운 찰과상 이네요.
가벼운 찰과상이라 다행이다~
트리트 먼트

레스토랑

잠깐 화장실 다녀올게.
주방 앞을 지날 때 조심해.
응, 고마워!
폴짝
오늘의 수프 입니다.
다녀왔어~
달그락
농후한 새우 비스크
블랙 타이거 군, 이럴 수가….
아무리 블랙 타이거 군 이라도
믹서로 정성껏 곱게 갈아버리면 어쩔 도리가 없잖아….
가벼운 찰과상 이네요.
가벼운 찰과상이라 다행이다~
주먹밥 가루
HAPPY

코메코메 커피

샌드위치는 아직인가?
두근 두근 두근
주스 맛있다~
벌떡!
오래 기다리셨습니다―
아앗.
……
멈칫
양이 많네―
두꺼워!
감사합니다―
잘 먹었습니다~
딸랑 ♪

죽방울

모자

※일본어로 벼(이나)와 개(이누)는 발음이 유사합니다—편집자주

어버이날 1

마가린
불쑥
엄마,
항상
고마워.
선물이야.
그리고
이거.
쑥
어깨 두드리기
어깨 주무르기
어깨 트리트먼트
구급차
불러주세요.
드르르륵
콰당
가벼운
행복사네요.
가벼운
행복사라
다행이다~
꼬옥...

어버이날 2

신선 요리 RIPPA
어버이날
이잖아.
오늘을
고대하면서
아르바이트
했어.
이렇게
근사한
가게에
데리고
와주다니.
재료가
도망쳤네.
떵석
찌~잉..
빛이자
희망이야.
내게 있어
할머니는
엄마이자
아빠고
구급차
불러
주세요.
매일
고마워요.
생새우 회
신선
오래 살고
볼일
이구나!
음식
나왔습
니다!
신선
턱
밤새우며
춤을 추자
가벼운
찰과상
이네요.
가벼운
찰과상이라
다행이다~

감화

식사 지도

고기 고기 베이컨
닭고기 튀김 버거
네 — 에
건강
토끼
고기만
많이 먹는
군요.
탄수화물도
섭취하세요.
볶음밥 주먹밥
야끼소바
네 — 에
말을 잘못
했군요.
균형 잡힌
식사를
하세요.

치과

치과
바들
바들
괜찮아!
나도 같이 가 줄게.
충치가 생겼어~
치과 무서워.
아직 아무것도 안 했어요.
아프면 손을 드세요.
바들
바들
이것 봐, 인형이야~
안아볼래?
방긋!
휙
이것 봐, 블랙 타이거 군이야~
안아볼래?
꼬옥

손 들어

휴게실
손 들어!
네가 뭘 들고
있는지
알고 있다.
간식으로
먹으려고
아껴뒀던
푸딩을…
맛있네요
잘도
당당하게
먹는군.
주먹
휘두르지 마!
그런 의미에서
손 들라고
한 게
아니라고.
깍
아프면
손을
드세요~
것도 모자라
나더러 손을
들라고…?
꾜
악

화 관

토끼 선생님이
기뻐하시면 좋겠는데.
그러게.
꼬물
꼬물
꼬물
접 수
아쉽지만 어쩔 수 없지.
숙
그렇구나—
미안해. 병원 규정이라
선생님께 선물을 드릴 수 없어.
선물이 아니라 제가 깜빡한 것들이네요.

화재 1

큰일 이야!
안은 위험 합니다.
튀김
제 아기가 아직 안에 있어요….
튀김집에 불이 났어—!
풀짝!
웅성 웅성
오오… 정말 용감해!
뭉게
으앙—
뭉게
안에서 누가 나왔어.
구급차 불러주세요.
앙
구세주!
새우튀김
구세주다.
앙
꺄아 꺄아
가벼운 화상 이네요.
가벼운 화상이라 다행이다~
대단해
쑥쓰…

화재 2

엄마— 구세주님 이야기 또 해줘—
네가 갓난아기 였을 때
불길에서 널 구해 주셨단다.
건강해.
이름도 밝히지 않고 떠난 구세주 새우튀김 씨.
나도 크면 새우튀김이 되고 싶어—
화이트 타이거 군, 잠깐만.
아하하.
후다다닥…
깜짝
이 목소리 는…
구세주 님?!
아, 아뇨….
제가 착각 했네요….
?

궁합

신선
채소를
파네.
과일도
있어.
너랑
굉장히
마음이
잘 맞는 것
같아.
아보카도
왜 그럴까?
옛날부터
당연하게
내 곁에
있었던.
소꿉친구
같아.
토마토
너도…
마치
신기하네~
감자
마치 마음이
녹아내리는
기분이야.
난 이 아이랑
마음이
잘 맞을 것
같아.
척
척

합 동 방 송

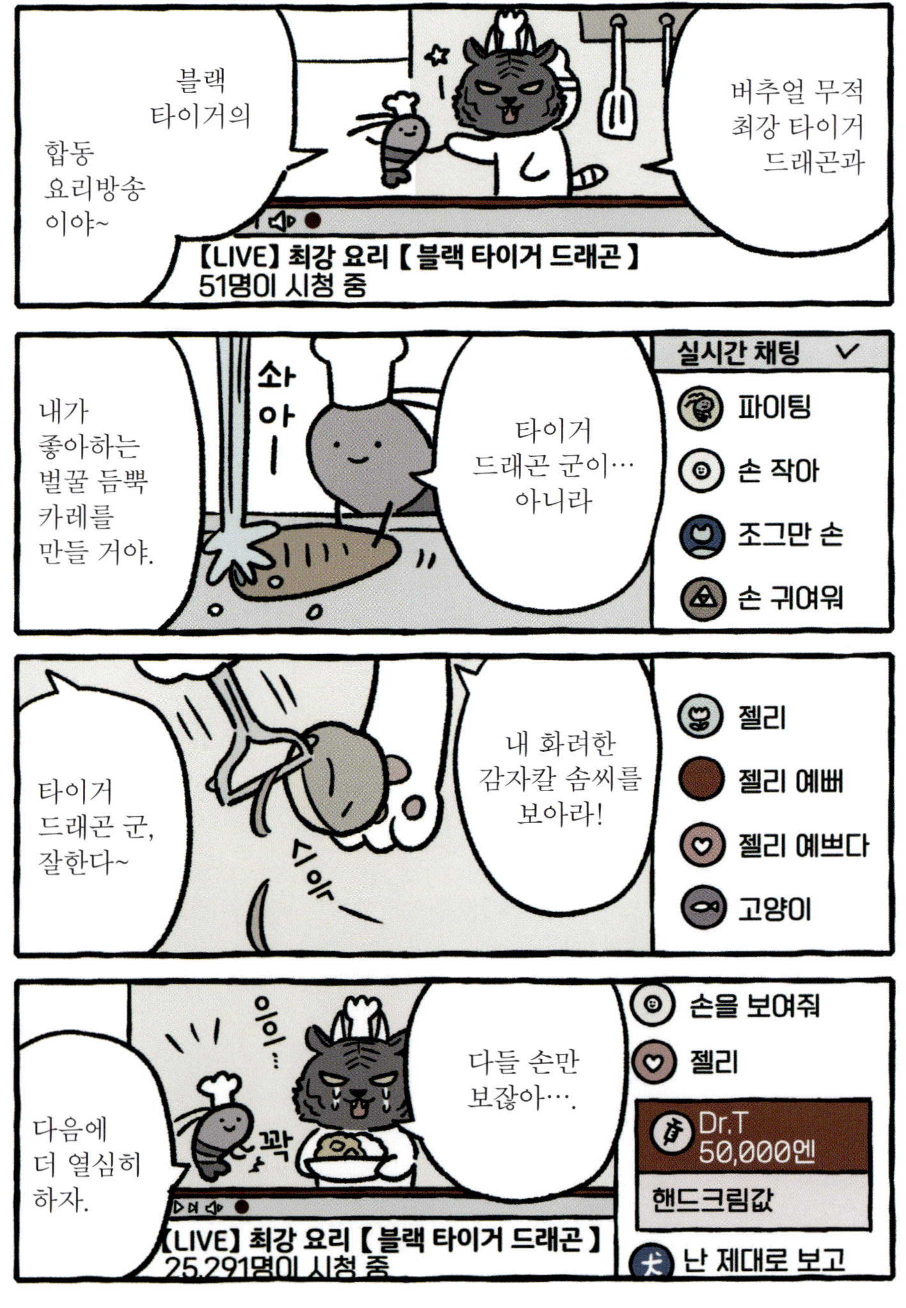
버추얼 무적
최강 타이거
드래곤과
블랙
타이거의
합동
요리방송
이야~
【LIVE】 최강 요리 【 블랙 타이거 드래곤 】
51명이 시청 중
실시간 채팅
파이팅
손 작아
조그만 손
손 귀여워
타이거
드래곤 군이…
아니라
내가
좋아하는
벌꿀 듬뿍
카레를
만들 거야.
소아ー
젤리
젤리 예뻐
젤리 예쁘다
고양이
내 화려한
감자칼 솜씨를
보아라!
타이거
드래곤 군,
잘한다~
스응
손을 보여줘
젤리
Dr.T
50,000엔
핸드크림값
난 제대로 보고
다들 손만
보잖아….
다음에
더 열심히
하자.
으…
꽉
【LIVE】 최강 요리 【 블랙 타이거 드래곤 】
25,291명이 시청 중

불 량 배

점프력 대단하다.
어디 나도 한번!
폴짝
어디 보자, 둘이 동시에…
폴짝
폴짝
우리 둘 중에 누가 더 높이 뛰어요?
저기요— 선생님—
있는 힘껏 점프해보세요.
왜? 높이 뛰면 주머니에서 돈이라도 떨어질까 봐?!

숨바꼭질

다
숨었니—
오,
숨바꼭질
하나요?
폴
짝
토끼
선생님은
숨기 좋은
장소를
알 것
같아서!
괜찮은
곳이 있어요.
큰일이야!
아무리
찾아봐도
블랙
타이거 군이
안 보여….
걱정
이군….
두리번
두리번
두리번

일교차

졸음

이렇게 늦은 시각까지 깨어 있는 거 처음이야!
와 와 아 아
오늘은 자고 갈 거야~
평소보다 많이 놀 수 있어!
졸음아! 덤벼라!
내가 잠을 물리칠 테니 안심해!
벌떡
넙죽
그런데… 벌써 졸려…
지면 안… 음냐 음냐…
신난해… 푹
미끌
생활 리듬이 건강하네요.
주거 침입은 하면 안 돼~

시 력 교 정

안경….
시력교정
수술은
안 하세요?
아— 눈을 찢고
렌즈를 넣는
수술 말이지.
무서워서….
렌즈
더 무서워.
안심
하세요.
제가 집도
할게요.
오싹
샥
샥
무서워
무서워
무서워
무서워
덜덜
덜
안전은
보증하죠.
저도 제가
직접 했는데
문제없었어요.

타이거 밥 먹은 후 이불 지옥 병

하트

프로필 노트

중얼…
절친 ♥
프로필 노트
써줄 사람은
없겠지
…

이름은
블랙 타이거야!
혈액형은 O형
자주 맞이겠다
라는 말을 들어 ♪
MY FAVORITE
친구 가족 동료

이름은
경찰 아저씨야!
혈액형은 O형
자주 고생한다
라는 말을 들어 ♪
MY FAVORITE
수갑 돈가스 팥빵

이름은
야!
혈액형은 형
자주
라는 말을 들어
MY FAVORITE

새우 레시피 1
칠리새우

증상
중화요리가 되어 버림

원인
기름 때문에 미끄러짐

진단
가벼운 화상

재료 (2인분)

- 깐 새우…200g (12~15미)
- 소금…조금
- 전분…1/2큰술
- 참기름…2큰술
- 두반장…1/2작은술

A
- 대파…10cm
- 마늘…한쪽
- 생강…한쪽

B
- 술…1큰술
- 설탕…1작은술
- 케첩…2큰술
- 간장…1/2큰술
- 치킨스톡…1작은술
- 물…150ml
- 전분…1작은술

만드는 방법

1. 깐 새우는 등에 칼집을 넣어 내장을 제거한다.
   전분 1큰술, 소금 1/2작은술(재료에 적힌 분량 외)과 섞어 물에 씻고 물기를 확실하게 제거한 후 소금, 전분을 뿌린다.

2. A를 잘게 썬다.

3. 볼에 B를 넣고 섞는다.

4. 프라이팬에 참기름, 2, 두반장을 넣고 약한 중불로 냄새가 날 때까지 볶는다. 1을 넣고 새우의 색이 변변할 때까지 1~2분 중불에서 볶는다.

5. 3을 여러 번 나눠서 넣고 끓인다.
   국물이 끈적이면 다시 1분 정도 졸인다.

포인트
껍질이 있는 새우를 사용할 경우 껍질을 깐 후 위의 과정을 따라 만드세요.

여담집

멋진 남자

멋진 남자는 동경의 대상이지.
멋진 마스터에게 비결을 물어보자.
나쁜 남자는
멋있지…!
떨어진 빵 부스러기는 치우지 않을 거야.
나쁨
다리를 꼬고 앉을 거야.
마스터. 우리 어때?
바들바들
바들바들
귀여워.

버터 예방

엉엉
버터
화이트 타이거 군이
또 버터가 됐어요!
바로 먹어보자.
선생님, 대단해요—
예방
버터 예방약을 개발했어요.
아쉬워라….
그런데 맛이 너무 없어서
상용화하긴 힘들겠네요.

예언

부족

추욱~
이상하게 나른하네.
그리고 보니 고기만 먹었구나~
채소가 부족하네요.
그럼 생선을 먹자꾸나.
선생님이 고기 말고 다른 것도 먹으래….
소통이 부족했네요.

개

안녕하세요, 벼 경찰 아저씨.
개거든.
타이거 콤비가 따라 하더라.
그러니까 하지 마.
감자 경찰 아저씨.
당근 경찰 아저씨.
개라고.
내 말 안 들리니?
어때?
이제 불만 없지?
짜
잔
유쾌한 경찰 아저씨.
유니크 폴리스.
축제 형사.
그냥 부르고 싶은 대로 불러.

온라인 진단 1

구급차 불러…
…앗.
새우튀김 덮밥
따끈
사삭
USG
출장 왔습니다
어떡하지.
선생님은 출장 중이구나.
댓글
새우튀김
2분 전
Zooon.us/xxx...
온라인으로 진찰해주신대.
선생님, 고마워요!
가벼운 화상 이네요.
가벼운 화상이라 다행이다~
와~아

온라인 진단 2

그러게—
앞으로도 온라인으로 진찰해 주시면….
선생님의 부담도 덜 수 있고
…….
선생님?
…….
심각한 접속 오류는 어쩔 수 없지~
그렇구나—
ㄸ디 링
그럼 몸조심 하시길.
심각한 접속 오류 네요.

도둑

위협

오발송

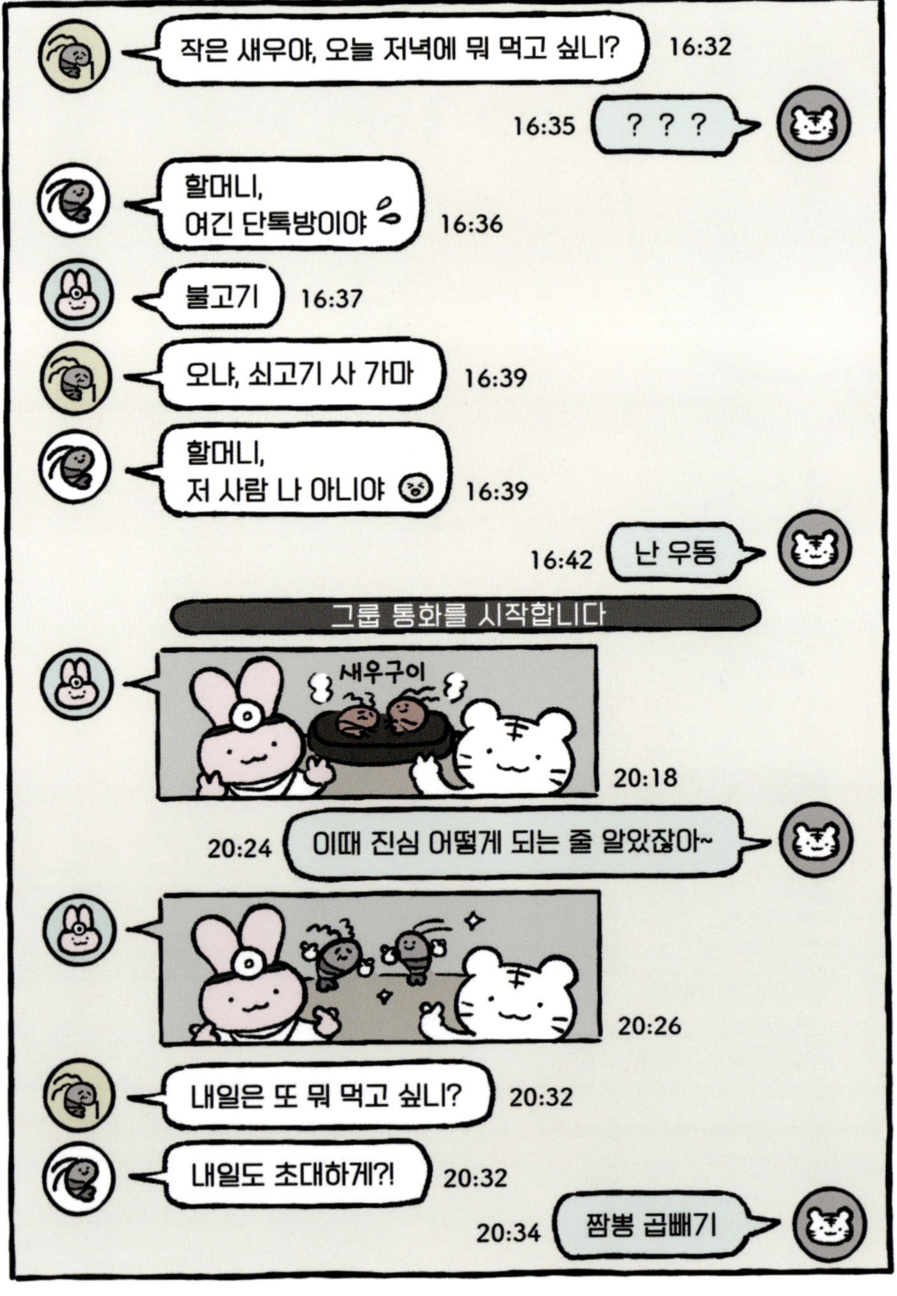

작은 새우야, 오늘 저녁에 뭐 먹고 싶니?   16:32
16:35   ？？？
할머니,
여긴 단톡방이야   16:36
불고기   16:37
오냐, 쇠고기 사 가마   16:39
할머니,
저 사람 나 아니야   16:39
16:42   난 우동
그룹 통화를 시작합니다
새우구이
20:18
20:24   이때 진심 어떻게 되는 줄 알았잖아~
20:26
내일은 또 뭐 먹고 싶니?   20:32
내일도 초대하게?!   20:32
20:34   짬뽕 곱빼기

새우 레시피 2

새우 토마토 냉국

원인
토마토 주스에
빠짐

진단
토마토 주스를
좀 마셨을 뿐

처방
옹기에서 꺼내
마른 천으로 조심스레 닦는다

재료 (2인분)

- 깐 새우(자숙)…50g (3~5미)
- 토마토…2개 (약 360g)
- 오이…1/4개

ⓐ
- 소금…1/3작은술
- 후추…조금
- 올리브 오일…1큰술

만드는 방법

❶ 토마토는 꼭지를 제거하고 갈아둔다.
오이는 사방 5mm 크기로 다진다.
깐 새우는 폭 1cm 정도로 자른다.

❷ 볼에 간 토마토, ⓐ를 넣고 섞는다.

❸ 그릇에 담고 깐 새우, 오이를 장식한다.

포인트 강판에 갈지 않고 믹서로 갈아도
만들 수 있습니다.
생물 새우를 쓸 경우엔 물에 소금을 넣고
살이 익을 때까지 1분 정도 데쳐서 쓰세요.

고급 레스토랑
Go~Geup

편지

토끼
병원
덜컹
토끼
선생님~
높으신 분이
식사에
초대하셨어요.
총 총 총
고급
레스토랑….
예의를
차려야 하는
장소는
거북해서요.
그렇죠.
후룩
컵라면

출발

하지만 모처럼 생긴 기회인데
가보시지 않을래요?
컵라면
가끔은
제대로 된 식사를 하서야죠.
그렇게까지 말한다면….
저도요~
촤락
제가 도와 드릴게요!
Go~Geup

테 이 블 매 너

한 계

의 사 들

개심

토끼 선생님.
오늘도 수고하셨…
우물 우물….
앗!
직접 만든 도시락!
제대로 된 식사를 하고 계시네요!
식사의 즐거움을 떠올렸거든요.
다행이에요~
하지만 몹시 맛없어요.
내일부터 제가 만들어 올까요?
척

크림 새우

증상
마요네즈로
온몸이 끈적끈적

원인
화이트 타이거 군의
손에서 미끄러짐

처방
마른 천과 티슈로
마요네즈를 조심스레 닦는다

재료 (2인분)

- 깐 새우…200g (12~15미)
- 양상추…2장 • 소금…조금
- 식용유…3큰술

Ⓐ
- 달걀…1개
- 박력분…2큰술
- 전분…1큰술
- 식용유…1작은술

Ⓑ
- 마요네즈…3큰술
- 케첩…1작은술
- 설탕…1작은술
- 우유…1작은술
- 레몬즙…1작은술

만드는 방법

1. 깐 새우는 등에 칼집을 넣어 내장을 제거한다.
   전분 1큰술, 소금 1/2작은술(재료에 적힌 분량 외)과
   섞어 물에 씻고 물기를 확실하게 제거한 후 소금을
   뿌린다.

2. 양상추는 폭 1cm로 썬다.

3. 볼에 Ⓐ를 넣고 섞는다.

4. 프라이팬에 식용유를 두르고 약한 중불로 달군 후
   새우를 ❸에 넣었다 건져서 프라이팬에 요리한다.
   튀김옷이 굳을 때까지 2분 정도 굽고 뒤집어 1~2분
   정도 더 굽는다.

5. 볼에 Ⓑ를 넣고 섞어 ❹를 추가해 버무린다.
   그릇에 양상추를 깔고 새우를 담는다.

포인트 껍질이 있는 새우를 사용할 경우
껍질을 깐 후 위의 과정을 따라 만드세요.

안색

재밌겠다~
배 처음 타 봐!
화이트 타이거 군, 안색이….
어라?
….
이러다 블루 타이거가 되겠어!
큰일 이야ー!
가벼운 뱃멀미라 다행이다~
멀미약
가벼운 뱃멀미네요.

흔들림

모래사장

구출

헬프

다른 승객도 무사해야 할 텐데….
선생님도!
둘 다 무사해서 다행이에요.
여긴 어디람?
무슨 일이 일어났지?
전파가 안 닿네요.
해양 경찰청에 연락하자.
무리 하지 마.
헤엄쳐서 구조를 요청하러… 아푸푸.
지금은 구조를 기다리는 수밖에 없겠어요.

수수께끼의 목소리

정 체

나도 이름은 강해 보이는 호랑이지만….
크… 큰일이야. 화이트 타이거 군은 강한 호랑이고
그르르르…
화
악
그… 그래, 덤벼라!

부스럭
꼬르르르

오징어

까~
고맙대.
오징어
였구나~
나무 열매
먹을래?
아하하
아하하
구급차
불러
주세요.
오징어구이
&
새우구이
미끌
가벼운
화상이네요.
구이 친구
가벼운
화상이라
다행이다~

포획

하얀 무언가

가… 갑자기 무슨?!
둘 다 위험하니까 멀리 떨어지세요.
들고 보니….
배가 뒤집힐 때 하얀 무언가가 보였죠?
그게 왜…?
첨벙
무사했구나.
앗! 저거… 우리가 타고 온 배다!
어이

거대 오징어

재 회

친구

와하하
배를 공격한 게 아니라
필사적으로 찾고 있었을 뿐이라니~
미끌
미끌
폴짝
폴짝
또 놀러 올게.
구급차 불러주세요.
오징어구이
새우구이
가벼운 화상이네요.
구이가족
가벼운 화상이라 다행이다~

새우 그라탱 파이

증상
그라탱 파이에
완전 홀릭

원인
기뻐서 뛰다가
그라탱 파이에 다이빙

진단
가벼운 화상

재료 (지름 12cm 내열 용기 2개 분량)

- 깐 새우…100g (6~8미)
- 냉동 파이 시트 (20x20cm)…1/2장
- 양파…1/2개
- 양송이버섯…4개
- 소금·후추…약간
- 올리브 오일…1큰술
- 박력분…2큰술
- 우유…300ml
- 소금…1/3작은술
- 달걀노른자…적당량

포인트

재료를 확실하게 식힐 것, 파이 시트는 너무 많이 녹지 않도록 조심하는 게 포인트. 재료의 증기가 파이 시트를 밀어 올려서 부풀면 바삭바삭한 그라탱을 먹을 수 있습니다.

만드는 방법

1. 깐 새우는 등에 칼집을 넣어 내장을 제거한다. 전분 1큰술, 소금 1/2작은술(재료에 적힌 분량 외)과 섞어 물에 씻고 물기를 확실하게 제거한 후 소금·후추를 뿌린다. 양파, 양송이버섯은 얇게 썬다.

2. 프라이팬에 올리브 오일을 두르고 중불로 달군 후 양파를 넣고 숨이 죽을 때까지 볶다 깐 새우, 양송이버섯을 추가하여 빠르게 볶는다.

3. 약불로 줄여 박력분을 넣고 한 덩어리로 뭉칠 때까지 섞는다. 우유를 조금씩 넣어 끈기가 생길 때까지 약한 중불에 끓인다. 소금을 넣어 섞고 확실하게 식힌다.

4. 오븐을 200℃로 예열한다. 냉동 파이 시트는 부드러워질 때까지 실온에 놓아두고 절반으로 자른다. 내열 용기의 크기에 맞춰 조금 더 커질 때까지 밀대로 편다.

5. 내열 용기에 3을 같은 양으로 나눠 담는다. 내열 용기 가장자리에 달걀노른자를 바르고 4를 한 장씩 올린 후 손가락으로 눌러 확실하게 덮는다. 파이 시트에 남은 달걀노른자를 바르고 200℃로 예열한 오븐에서 갈색이 될 때까지 15분 정도 굽는다.

화이트 타이거와 블랙 타이거

초판 1쇄 인쇄 2025년 8월 10일
초판 1쇄 발행 2025년 8월 15일

만화 : 니토리 사사미
번역 : 반기모

펴낸이 : 이동섭
편집 : 이민규
디자인 : 조세연
영업·마케팅 : 조정훈, 곽혜연
기획편집 : 송정환, 박소진
e-BOOK : 홍인표, 최정수, 김은혜, 정희철, 김유빈, 김미연
라이츠 : 서찬웅, 서유림
관리 : 이윤미

㈜에이케이커뮤니케이션즈
등록 1996년 7월 9일(제302-1996-00026호)
주소 : 08513 서울특별시 금천구 디지털로 178, B동 1805호
TEL : 02-702-7963~5 FAX : 0303-3440-2024
http://www.amusementkorea.co.kr

ISBN 979-11-274-9228-1 07830

WHITE TIGER TO BLACK TIGER
©nitorisasami 2023
First published in Japan in 2023 by KADOKAWA CORPORATION, Tokyo.
Korean translation rights arranged with KADOKAWA CORPORATION, Tokyo.